Haas weet van niks

Annemarie Bon
met tekeningen van Gertie Jaquet

Zwijsen

Geen peen voor Haas

'Mag ik een peen?'
Haas staat bij de kraam van Rat.
Rat heeft kool en ui en biet.
Hij heeft ook peer en noot en prei.
'Het spijt me,' zegt Rat.
'Er is geen peen meer.
De peen is op.'
'Hoe kan dat nou?' roept Haas.
'Wie koopt er nu al je peen?
De peen is voor mij.
Aan wie gaf jij mijn peen?'
'Eu, eu, eu....'
Wat zegt Rat nou?
Rat praat zo raar.
Zijn kop is rood.
'Pest jij mij soms?' zegt Haas.
'Ik kom hier dag in dag uit.
Dan koop ik peen.
En nu is de peen op!
Dat is niet leuk.'
'Wil je soms biet?'
Rat pakt een biet.

Zijn kop is nog rood.
Zo rood als de biet in zijn hand.
'Nee,' zegt Haas sip.
'Ik wil peen.
Biet hoef ik niet.'
Haas keert om en loopt weg.
Rat heeft geen peen voor hem.
Zou er iets zijn?
Zou Rat boos zijn op Haas?
Geen peen?
Dat is wel heel raar.

Waar is Das nou?

Haas loopt naar huis.
Hij is sip.
Nou heeft hij geen peen.
Maar hij heeft wel trek.
Zal hij naar Das gaan?
Wie weet, heeft Das peen!
Dat is pas een goed plan!
Haas holt snel naar Das.

9

'Das! Das!
Kom eens hier.'
Haas staat voor de deur van Das.
Hij belt.
Hij roept.
Maar Das is er niet.
Dat is gek.
Das hoort in zijn huis te zijn.
Das gaat niet graag weg.

Haas was al sip.
Nu is hij erg sip.
Rat heeft geen peen.
En Das is er niet.
Wat nu?
Zal hij naar Vos gaan?
Wie weet, heeft Vos soep!
Als er maar geen biet in zit!
Haas lust geen biet.
Maar ja, hij heeft wel trek.
En dan lust een haas heel veel.

11

Haas mag er niet in

Haas tikt op de deur van Vos.
'Vos! Vos!
Ben je daar?'
Het duurt een tijd.
Dan gaat de deur van het slot.
'Wat is er?' zegt Vos.
Vos zegt niet: 'Kom er in.'
Vos staat voor de deur van zijn huis.
'Rat had geen peen,' zegt Haas.
'Mijn buik is leeg.
Is er soep bij jou?
En mag ik dan wat?'
'Nee,' zegt Vos.
'En je kunt er nu ook niet in.
Het komt niet goed uit.
Je moet gaan.'
Haas kijkt het huis van Vos in.
Wat ziet hij daar?
Hij ziet Das en Mol.
En daar zit Uil met Kip.
Ook Mus en Mees en Muis zijn er.
Er is heus wel een stoel voor Haas.

En Haas wil ook wel staan.
Als hij maar niet weg hoeft.
Wat is er aan de hand?
Haas wil er ook bij zijn.
Maar Vos zegt: 'Hup, Haas.
Ga nou maar.'

Haas was al erg sip.
Nu is hij heel erg sip.
Is er iets mis met hem?
Ruikt hij niet fijn?
Of is hij soms niet lief?
Wat is er aan de hand?
Ziet hij er te stom uit?
Ja, dat is het vast!
'Mijn broek is te kort.
En mijn haar is niet hip.
En die trui dan?
Die kan heus niet meer.
Dat is er vast mis met mij.
Ik snap dat Vos me weg jaagt.
En dat Rat geen peen heeft voor me.
Ik schaam me dood.
Ik ga er iets aan doen!'

Groen haar is hip

Haas rent naar huis.
Hij weet wat hij zal doen.
Zijn haar ziet er stom uit.
Hij neemt een pot verf.
Zijn haar moet groen.
Groen is pas leuk.
Groen is pas hip.

En dan zijn broek.
Dat is ook niks.
Haas maakt er een lap aan.
En nog een en nog een.
Die broek is nu gaaf.

Maar zijn trui is te groot.
Haas pakt de schaar.
En zet een knip in de trui.
Een stuk er af.
Dat is pas leuk.
Haas kijkt eens goed.
Hij ziet er leuk uit.
Je ziet een stuk van zijn buik.
Zal hij weer naar Vos gaan?
Wie weet, mag hij er nu in.

Haas tikt op de deur van Vos.
'Vos! Vos!
Ben je daar?'
Het duurt een tijd.
Dan gaat de deur van het slot.
'Ha, Vos!' zegt Haas.
'Daar ben ik weer!'
Vos zegt niet: 'Kom er in.'
Vos kijkt wel raar naar Haas.
'Wat is er met jou, Haas?' zegt Vos.
'Wat zie je er gek uit.
Ben je soms ziek?
Je haar is groen.
Je trui is stuk.
Wat kom je nou doen hier?
Het komt niet goed uit.
Dat weet je best.'

Haas kijkt het huis van Vos in.
Hij ziet Das en Mol.
En Uil en Kip.
En Mus en Mees en Muis.
Elk dier heeft een kaart.
Wat staat er op?

Het lijkt wel op *feest*.
'Om zes uur,' piept Muis.
'Ik zorg voor taart,' roept Das.
Dan zien ze Haas.
Het is in één klap stil.
'Ssst,' zegt Uil.
'Hup, Haas!'
Vos wijst naar de weg.
'Ga jij nou maar.'

Niks is meer leuk

Haas was al heel erg sip.
Nu is hij heel, heel erg sip.
Er is een feest om zes uur.
En Haas mag er niet bij zijn.
Wat is dat vals!
Het komt niet door zijn haar.
Het komt ook niet door zijn broek.
Het komt door Haas zelf.
Geen dier wil hem zien.
'Ben ik zo stom?' huilt Haas.
'Wat doe ik mis?
Geen dier moet mij.
Ik ga naar huis.
Ik vind er niks meer aan.'

In huis loopt Haas maar wat rond.
Hij heeft trek in peen.
Maar de kast is leeg.
En zijn buik ook.
Hij weet niet wat hij moet doen.
Das is er niet voor een spel.
Geen dier dat iets zegt.

Het is stil.
Haas gaat maar naar bed.
Hij duikt in zijn nest.
Fijn warm!
Mmm, dat voelt wel goed.

Haas is een oen

'Haas! Haas!'
Wat is er aan de hand?
Haas was net in een droom.
Een droom van een feest.
Hij kijkt op zijn klok.
Het is zes uur.
Weer hoort hij wat.
'Haas! Haas!'
Er is een bons op zijn deur.
Haas hupt uit bed.
Hij rent naar de deur.
'Wat is er?'
Dan is Haas stil.
Heel, heel erg stil.
Voor de deur staan Das en Vos.
En Mus en Mees en Muis.
En Mol en Uil en Kip en Rat.

'Hiep, hiep, hoe…ra!'
'Het is feest,' zegt Kip.
'Jij bent zes,' roept Vos.
'Ik heb taart,' gilt Das.
'En ik heb sap van peen.'
Rat geeft Haas een fles.
'Ben ik dan niet te stom?' vraagt Haas.
'Ja, je haar is wel erg groen!'
Vos kijkt eens naar Haas.
'Maar jij bent mijn maat.
En dan maakt het niet uit.
Groot of klein.
Groen of bruin of rood.
Jij bent mijn maat.
Door dik en door dun.'

'Van mij ook!' roept Mees.
'En van mij!'
'En van mij!'

Haas weet niet hoe hij het heeft.
Er is feest.
Hij mag er wél bij zijn.
Het feest is voor hem!
Want hij is zes.
Dat wist hij zelf niet meer.
'Wat ben ik een oen,'
zegt Haas.
'Ik ben heus veel te stom!'

In de serie ik lees! zijn verschenen:

AVI 1

de maan en de fee
Frank Smulders en Hugo van Look

Haas weet van niks
Annemarie Bon en Gertie Jaquet

AVI 2

Mijn hond Flip
Anke de Vries en Alice Hoogstad

Het geheim van Jan
Elle van Lieshout, Erik van Os
en Marjolein Krijger

AVI 3

Ridder Wout
Dirk Nielandt en Daniëlle Schothorst

Mees doet gek
Anneke Scholtens en Camila Fialkowski

STICHTING NEDERLANDSE
KINDERJURY
2003

L	E	E	S
L	Leeservaring A B C D E F G H		vanaf 6 jaar
A	AVI 1 2 3 4 5 6 7 8 9		
T	Thema dieren		

Toegekend door KPC Groep te 's-Hertogenbosch.

4ᵉ druk 2008

ISBN 978.90.276.4648.4
NUR 287

© 2002 Tekst: Annemarie Bon
Illustraties: Gertie Jaquet
Uitgeverij Zwijsen Algemeen B.V. Tilburg

Voor België:
Zwijsen-Infoboek, Meerhout
D/2002/1919/241